KB075580

내 고향 영강의 민물고기

발　행 | 2022년 3월 31일
저　자 | 김동현
펴낸이 | 한건희
펴낸곳 | 주식회사 부크크
출판사등록 | 2014.07.15.(제2014-16호)
주　소 | 서울특별시 금천구 가산디지털1로 119 SK트윈타워 A동 305호
전　화 | 1670-8316
이메일 | info@bookk.co.kr
홈페이지 | www.bookk.co.kr

ISBN | 979-11-410-2233-4
ⓒ 김동현, 2023

차 례

첫째 마당

⌘ 우리 동네의 민물고기 소개 ⌘

탐어, 이 글을 어떻게 시작해야 할지 모르겠다. 탐어 이야기를 언젠가는 하고 싶었다. 그냥 누군가는 이 글을 읽어보길 바라면서.

나는 어릴 때부터 동물을 좋아했다. 동물 그중에 특히 물고기를 좋아했다. 그래서 5살 때부터 고기를 잡는 사진이 있다. 내가 하고픈 이야기는 내 고향 영강에 사는 물고기에 대해 말하고 싶다.

나는 어릴 때부터 고기를 잡으러 다녔다. 처음엔 아빠 차를 타고 주말마다 도깨비바늘로 피라미, 참갈겨니 따위를 잡았다.

갈겨니는 세 가지 타입이 있는데 수계에 따라 다르다.

- NE 타입 : 가슴지느러미에 빨간색 무늬가 없고 등지느러미 앞쪽만 뚜렷한 빨간색이다.
- NS 타입 : 가슴지느러미에 빨간색 무늬가 있고 등지느러미 중간까지 옅은 빨간색에서 밤색으로 이어진다.
- HK 타입 : 가슴지느러미에 빨간 선이 있고 위에서부터 등지느러미 반이 흰색이다.

HK는 한강/금강, NE는 낙동강/동해안, NS는 낙동강/섬진강이라는 뜻이다. 강에 따라 이러한 특징이 있다고 들었는데 나는 지금까지 NE만 잡아보았다.

갈겨니들은 비교적 쉽게 잡힌다. 왜냐하면 도깨비바늘의 구조는 고등어 잡을 때 쓰는 카드 채비와 비슷한데 끝에 조그마한 카고통이 달려있다. 거기 있는 떡밥이 집어를 하는 것이다. 거기서 바늘을 먹이로 착각하고 무는 것이다.

참갈겨니

가끔 도깨비바늘을 쓰다 보면 꺽지도 얻어걸리고 납자루아과 고기도 얻어걸린다.

내가 이 글을 쓰려고 결심한 계기는 몇 달 전에 우연히 도깨비바늘로 '낙동납자루'라는 고기를 잡고 이 추억을 공유하고 싶었기 때문이다. 그 물고기는 나에게 많은 추억을 떠올리게 해 주었고 민물고기를 지키겠다는 잊고 있었던 나만의 약속을 떠올리게 했다.

난 어릴 때부터 통발, 족대, 낚시 등 고기 잡는 건 다 해 보았다. 꺽지도 잡고 쏘가리도 잡고 어지간한 건 다 잡았다. 탐어도 많이 다녔다. 최근엔 얼룩새코미꾸리를 채집하고 구조까지 하였다. 이건 글 뒤편에 다시 쓸 것이다.

난 꺽지 낚시를 좋아한다. 꺽지라는 물고기 자체가 좋다. 왜냐하면 꺽지는 어디선가 튀어나와 루어를 공격하는 모습이 나와 닮아 보였다. 루어는 가짜 미끼이다.

꺽지 낚시는 간단하다. 지그헤드(바늘)에 웜(가짜미끼)

를 끼우고 던지고 감으면 웜의 움직임에 반응해 꺽지가 문다. 아래 사진의 고기가 꺽지이다. 내가 직접 찍은 사진이다.

꺽지는 맛이 좋은 물고기이지만, 나는 직접 잡아서 먹어본 적은 없다. 내가 잡은 꺽지는 다 놓아 주었다. 왜냐하면 집에서 매운탕을 싫어했기 때문이다.

꺽지는 돌이 많은 곳, 용존산소량이 풍부한 곳에 사는 물고기이다. 그래서 흐르는 물에 산다. 고인 물에는 살지 않는다. 꺽지는 주로 작은 물고기나 새우 따위를 먹는다. 그래서 루어로 액션을 주면 반응해 먹는 것이다.

이것이 내가 쓰는 웜이다. 꺽지를 잡을 땐 이것들을 사용한다.

웜 (가짜미끼)

꺽지 낚시는 의외로 쉬운 낚시이다. 다른 배스 낚시 이런 것에 비하면 준비해야 할 것이 적고 채비명도 복잡하지 않다. 나는 꺽지 낚시를 하면서 약간의 스릴을 즐긴다. 어디서 튀어나와 물지 모르기 때문이다. 물론 '저 돌에 있겠다'하고 대충 예상은 하는데 가끔씩은 예상하지 못한 곳에서 나오는 꺽지가 있다. 꺽지는 그런 스릴이 있다. 나는 그 스릴을 좋아한다. 그리고 꺽지를 잡았을 때 그 느낌이 좋다. 이 꺽지를 이겼다는 '승리감'이랄까? 그렇지만 꺽지가 날 이길 때도 있다. 난 그럼 깔끔하게 패배를 인정한다. 자연은 인간의 것이 아니기 때문이다.

꺽지

꺽지는 전국 대부분의 하천에 살며 머리는 크고 눈은 머리의 등 쪽에 있다. 입은 크고 주둥이 끝이 뾰족하다.

옆줄은 완전하며 약간 위로 휘어져 있다. 몸에 7~8개의 검은 가로무늬가 있고 아가미뚜껑에는 흑청색 청무늬가 있다. 물이 맑고 자갈이 많은 하천에 살며 갑각류나 작은 물고기, 수서곤충을 먹는다. 5~6월에 자갈의 아랫면에 알을 낳아 붙인다.

내가 항상 느끼는 건데 사람들이 착각하는 게 있다. 자연 자체가 인간의 것은 아니다. 왜냐하면 우리가 최상위 포식자라도 우리 맘대로 자연을 파괴할 권한은 없다.

우린 자연과 더불어 살아가야지 자연을 정복하려고 하면 안 된다고 생각한다. 인간은 자연 없이 살 수 없고 그 외 모든 동물들도 마찬가지이다.

예시로 꿀벌을 들겠다. '꿀벌 하나가 없어지면 인간은 30년 안에 멸종한다.'는 논문을 보았다. 나는 동의한다.

꿀벌이 수정을 하지 않으면 식량을 생산할 수 없기 때문이다. 그럼 다른 생물에게도 영향을 끼친다. 식물이 없어지면 동물도 영향을 받고 결국 인간에게까지 영향이 온다. 그래서 우리 인간은 자연을 소중히 다루어야 한다고 나는 생각한다.

나는 낚시할 때 자연을 소중히 다루지 않는 사람들을 많이 보았다. 조그마한 꺽지도 챙기려고 꿰미에 끼우는 사람, 쏘가리의 금어기 때 잡는 사람, 체장이 18cm인데 안 지키고 잡아가는 사람, 작살질하는 사람 등등 많이 보았다. 나는 이런 현실이 안타깝다.

꺽지는 법적인 기준은 없지만, 낚시인들과 탐어인들만의 어린 고기는 놓아 주자는 '양심적 기준'이 있다. 그런데 그것도 챙기는 나쁜 사람들이 있다. 그래서 나는 가끔 말한다. 너무 오지랖일 수도 있지만 '어린 고기는 챙기지 말고 놓아줄 거면 꿰미에 끼우지 말라'고 '꿰미에 끼우면 물고기 아가미에 세균이 들어가서 안 좋다'고 그얘기를 꼭 한다.

꺽지를 잡는 방법이 낚시만 있는 것은 아니다. 돌틈 낚시, 통발, 족대 같은 방법이 있다. 돌틈 낚시는 돌틈에 지렁이 같은 미끼를 끼워서 하는 낚시이다. 나는 해 보지는 못했다. 꺽지는 납자루아과 고기를 잡으려고 설치한 통발에도 가끔 들어오고 또는 족대를 돌 밑에 대고 돌을 흔들면 나온다.

족대질을 할 때는 두 가지 방법이 있다. 하나는 족대를 대고 누가 몰아주는 방법이고 다른 방법은 혼자 하는 방법인데 풀숲이나 돌 밑을 쑤셔보거나 물고기가 있는 곳을 혼자 모는 방법이다.

족대는 다양한 물고기를 채집할 수 있는 도구이다. 나는 다양한 물고기를 채집해 보았다. 주로 납자루아과 고기하고 피라미, 참갈겨니, 꺽지, 돌고기 등 다양한 물고기를 채집했다. 다양한 물고기를 관찰하기 좋은 도구가 족대이다. 또 체력적으로 힘이 들어 운동도 되는 좋은 탐어 방법이다. 아이들과 같이하기 좋다. 아이들과 탐어할 때는 안전에 유의하길 바란다.

다른 방법으로는 통발이 있다. 통발은 간단하다. 떡밥에 물을 넣고 반죽한 뒤, 통발에 넣고 물고기가 많은 곳에 던지면 몇 마리가 들어와 있다. 그런데 통발은 비가 올 땐 설치하지 말아야 한다. 떠내려가면 무고한 생명이 죽기 때문이다. 그래서 필자는 비가 온다는 소식이 들리면 통발을 설치하지 않는다. 그래도 혹시 모르니 항상 통발을 단단히 묶어 둔다. 떠내려가지 말라고 말이다.

나는 최근에 우연히 낚시로 피라미를 잡다가 낙동납자루를 잡았다. 그것을 계기로 몇 달간 주말마다 통발을 설치한 적이 있다. 낙동납자루는 내 추억을 떠올리게 해 주었고 그 발색에 매료되었다. 그래서 내 인스타 프로필도 그때 잡은 낙동납자루이다. 인스타 주소도 뒤에 적어 두겠다. 소통을 원한다면 DM을 보내도 좋다.

나는 일본의 사례를 예로 들고 싶다. 일본은 민물고기 산업이 많이 발전해 있다. 한국의 고기들도 어둠의 경로로 많이 넘어간 걸로 안다. 한국의 민물고기는 공식적으로는 수출금지이다. 각시붕어, 큰줄납자루, 칼납자루, 버들붕어 등등 일본에 불법적으로 넘어간 건 잘못된 것이지만 한국은 그동안 무엇을 했냐는 것이다. 그래서 나는 민물고기를 지키기로 결심했고 이 글을 쓰고 있다.

민물고기를 널리 알리고픈 마음이 크다. 일본처럼 발전하진 못하더라도 민물고기를 지켜나가야 한다고 생각한다. 그래서 탐어를 다니고 지금까지 기록을 한 것이다.

낙동납자루 치어

위 고기들은 모두 낙동납자루이다. 이 책 표지의 주인공이다. 좌측이 수컷이고 우측이 암컷이다. 통발을 놓으면 돌고기와 함께 들어온다.

낙동납자루는 낙동강에 서식하던 칼납자루가 금강과 섬진강 등에 서식하는 기존의 칼납자루와 유전 및 외부형질적으로 차이가 있어 2014년 신종으로 발표된 납자루아과 어류이다. 이름에서 유추되듯이 주로 낙동강수계 전역에 분포한다.

나는 학교에 있어도 '영강' 생각만 났다. 왜냐하면 나한테는 영강이 피시방과 같은 곳이었기 때문이다. 물고기를 잡는 게 좋았다. 물고기만 보면 잡고 싶었다. 그래서 나는 주말이 기다려졌다. 나는 주말마다 영신숲에서 족대질을 하며 시간을 보내었다. 물론 낚시도 하였다. 탐어가 너무 좋아 방학 때는 영강에서 많은 시간을 보내며 탐어를 다니기도 하였다. 한 달 내내 그랬다. 방학이 거의 한 달이었으니까.

나는 자연 자체를 좋아했던 것 같다. 할아버지 댁 대문 앞에 가로등이 있었는데 사슴벌레가 많이 날아왔었다. 내가 어릴 때 할아버지께서 사슴벌레를 많이 잡아주셨던 추억이 있다.

나는 자연을 존중했다. 가끔 매운탕을 끓여 먹곤 하지만 적어도 어린 고기는 잡지 않았다. 나는 함부로 생명을 죽이지 않았고 필요할 때만 죽였다. 예를 들어, 식량이 필요할 때 그랬고 그다음은 자신의 목숨을 지키기 위해서인데 아직까지 그런 적은 없고 앞으로도 평생 없길 바란다. 왜냐하면 예로, 멧돼지가 덤비는데 앞에 총이 있으면 쏠 것인가? 난 쏠 것이다. 난 멧돼지에 의해 다치거나 죽기 싫기 때문이다. 그래서 자연 속에서 이러한 살생만 허용된다고 보는 것이다. 필자는 재미로 죽이는 걸 제일 싫어한다. 따라서 재미로 생명을 죽이지 않는다.

나는 자연을 항상 존중한다. 그래서 함부로 생명을 해하지 않는다. 작은 생명이라도 함부로 해하면 안 된다고 생각한다. 이야기가 지루할 수도 있겠다. 그래도 필자가 꼭 하고 싶었던 말이어서 몇 글자 적어 보았다.

탐어할 때 제일 많이 잡히는 고기는 피라미이다. 예쁜 수컷 피라미는 '불거지'라 불리기도 한다. 피라미랑 헷갈리는 고기 중에 '참갈겨니'라고 있는데 구별법은 눈을 보면 된다. 눈 12시 방향에 빨간 점이 있으면 '피라미', 없으면 '참갈겨니' 이런 식으로 말이다.

피라미 암컷

피라미 수컷

성전환중인 피라미

눈에 빨간 점이 없는 피라미도 있다. 그건 '먹지'라고 해서 낙동강 일부 수계에만 사는데 한 번도 채집해 본 적은 없다. 기회가 된다면 한번 채집해 보고 싶다.

나는 물고기에 대해 많이 알지 못한다. 그건 사실이다. 하지만 지키겠다는 열정은 있다.

나는 영강에 큰줄납자루가 서식하는 걸 보았다. 자연이 잘 보존되었다는 소리이다. 큰줄납자루는 낙동강수계에 의외로 많은데 섬진강 쪽에서 없어져서 멸종위기 야생생물 2급이 되었다. 그런데 탐어를 하다 보면 의외로 쉽게 마주친다. 사진은 몇 년 전에 낚시로 잡은 큰줄납 자루이다.

좌측 수컷, 우측 암컷 (초등학생 때 찍었음.)

큰줄납자루는 섬진강수계와 낙동강수계에 분포한다. 몸은 긴 타원형이고 좌우로 납작하다. 입가에 한 쌍의 수염이 있다. 몸은 초록빛을 띤다. 측선 비늘의 5~6번째 비늘부터 꼬리지느러미 앞까지 진한 초록색 줄무늬가 뚜렷하며 그 위로 여러 줄의 흑청색 줄무늬가 있다.

등지느러미와 꼬리지느러미의 가장자리는 붉고 그 안쪽은 흰색을 띤다. 수심이 약간 깊고 하천 여울 바닥의 큰 자갈이 깔려 있는 곳에 산다. 수서곤충의 유충을 먹는다. 비교적 최근인 2017년에 멸종 위기 야생생물 2급으로 지정되었다.

영강에서 탐어를 하다 보면 다양한 생물을 마주친다. 내가 탐어한 구역에선 생태계 교란종인 블루길은 마주친 적이 없다. 하지만 다양한 토종생물을 만날 수 있었다.

최근엔 얼룩새코미꾸리도 만났다. 탐어인들 말에 의하면 얼룩새코미꾸리는 만나려면 만날 수 있다고 한다. 그리고 배스 얘기도 해야 하는데, 난 처음에 배스는 무조건 큰 미노우(물고기 모양의 가짜미끼)만 무는 줄 알았다. 그래서 미노우로 해 봤는데 잘 안되었고 꺽지 웜으로 해 보았는데 많이 잡았다.

배스는 다른 고기와 다르게 잡히면 작은 배스라도 '바늘털이'라는 행위를 한다. 바늘털이는 바늘을 빼기 위해 물 밖으로 점프를 하는 행위를 말하는 것인데 물속보다 물 밖의 저항이 덜하니 그걸 이용하는 것이다.

배스의 바늘털이 행위를 볼 때마다 마치 청새치나 참치 같다는 생각이 든다. 나는 유튜브 '진석기시대'의 영상을 보고 배스를 먹어보기도 하였다. 배스의 맛이 궁금했던 나는 스푼을 던져서 배스 한 마리를 잡았다.

그걸 집으로 가져가서 구워 먹었는데, 조리를 잘하면 맛있고 잘못하면 흙내가 난다. 배스 크기가 50cm 넘는 걸 '런커'라고 하는데 아직까지 잡아 본 적은 없다.

나는 솔직히 배스를 싫어한다. 납자루아과 고기를 다 잡아먹기 때문이다. 물론 토종어도 잡아먹는다. 배스도 본능에 따라 행동했을 뿐이지만, 법은 배스를 잡으면 죽이라고 한다. 나는 전문 배스 낚시인이 아니다. 그냥 탐어인이다. 물고기를 좋아하는 입장에서 솔직히 배스를 죽일 때 미안하다. 그렇지만 나는 배스가 줄어들어야 토종물고기가 살 수 있다고 본다. 그래서 배스를 퇴치하는 것이고 나는 누가 배스를 달라고 하면 준다. 아니면 내가 잘 처리한다. 절대 아무 데나 쓰레기 버리듯 팽개치고 오지 않는다. 왜냐하면 고양이나 동물들이 주워가면 다행인데 썩으면 미관상 안 좋기 때문이다.

꺽지웜을 물고 나온 배스

　근데 배스를 처리하는 규정이 이상하다. 뼈와 살을 분리해 버려야 하는데 누가 그렇게 하겠냐는 의문이 든다. 그리고 배스를 잡으면 무조건 죽이라고 해놓고 규정을 복잡하게 해두면 누가 따르겠냐는 것이다. 배스를 잡는 순간 범법자가 되는 것이다. 놔줘도 불법, 아무 데나 패대기쳐도 불법이니까 오로지 집에 가져가 뼈와 살을 분리시켜 버려야 한다. 그런데 솔직히 배스의 수가 너무

많아 완전히 없애는 건 불가능할 것이다. 그래도 줄일
수 있을 만큼 줄여나가야 한다고 생각한다.

배스

나는 영강에서 '동사리'란 고기도 채집해 보았는데 매
운탕을 끓이면 맛있는 고기라고 들었다.

동사리는 별명이 '민물의 아귀'인데 그만큼 이빨이 많
다. 물면 놓지 않을 것 같고, 주로 야행성이라 밤에 활동
하는 고기이다. 나는 동사리가 '참 멋있다'는 생각이 든
다. 요즘은 이 고기를 관상용으로 키우기도 한다.

얼룩동사리와의 구별법은 얼룩동사리는 무늬가 일정하
지 않고 흩어져 있다. 반면 동사리는 띠모양으로 줄무늬
가 일정하다. 그리고 머리가 납작하다.

동사리 성어

동사리의 준성어

꾸구리 (출처 국립생물자원관)

동사리를 '꾸구리'라 부르곤 하는데, 사실 꾸구리란 종은 따로 있다. 낙동강수계에 안 살고 한강과 금강수계에 산다. 멸종 위기 2급이다.

동사리는 전국의 민물 수계에 서식하며 몸의 앞부분은 원통형이지만 뒤로 갈수록 납작해진다. 머리는 상하로 납작하고 눈이 작으며 몸에 큰 흑갈색 무늬들이 있다.

하천 중류의 물 흐름이 느리고 모래와 자갈이 많은 곳에 살며 수서곤충과 작은 물고기를 먹는다.

수수미꾸리가 '수수미꾸리'라는 이름이 붙은 이유는 얼굴 쪽에 수수알처럼 점이 있기 때문이다. 사진은 내가 야생에서 채집한 수수미꾸리이다. 매운탕집에서 매운탕이 될 뻔한 걸 데리고 왔다. 가끔씩 벽면에 기대어 서

있는데 이유는 알 수 없다. 야생에서 그러는 걸 나는 본 적이 없다. 난 전문가가 아니고 그냥 학생인 탐어인이라 이유는 잘 모르겠다.

　수수미꾸리는 한국의 낙동강수계에만 서식한다. 그래서 난 자주 보았다. 무늬는 호랑이와 닮았다. 그래서 관상가치가 뛰어나 키우는 사람이 많다. 나도 이 고기를 잡으려고 하루 종일 뛰어다닌 적이 있다. 그때가 한여름이었는데 더운 줄도 모르고 뛰어다녔다. 그날은 못 잡았는데 다음번에 잠자리채로 두 마리 잡았다. 잡아서 키우기도 하였다. 대부분은 방생해 주었다.

수수미꾸리

　동자개는 몸통은 뒤로 갈수록 납작해지고 머리는 상하로 납작하다. 4쌍의 수염 중 가운데 있는 것이 가장 길며 그 끝은 가슴지느러미 앞부분을 지난다. 몸에 비늘이 없고 점액질이 발달되었다.

몸 색깔은 황갈색 바탕에 너비가 넓은 흑갈색 줄무늬가 불연속적으로 이어진다. 하천의 중류, 저수지의 모래와 진흙이 많은 곳에 산다. 밤에 활동하고 수서곤충과 물고기알, 새우류를 먹는다. 5~7월에 알을 낳는다.

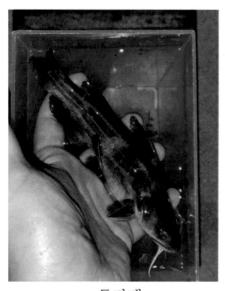
동자개

붕어

붕어는 전국의 모든 민물 수계와 기수지역에 서식한다. 입이 작고 입가에 수염이 없다. 배는 은백색 또는 황갈색을 띤다. 사는 장소에 따라 몸 색깔의 변화가 심하다. 환경에 대한 적응력이 좋고 하천 중류와 하류, 저수지에 산다. 작은 동식물을 먹으며 4~7월에 물풀에 알을 낳는다.

여기쯤에서 낚시에 대한 방법을 소개하고 싶다. 낚시는 좋은 고기잡이 방법이다. 초보자들이 하기 좋은 방법으로는 원투낚시가 있다.

원투낚시는 주로 캠핑 갔을 때 할 수 있는 방법으로, 원투낚시 묶음추에 지렁이 끼고 던지면 된다. 그리고 기다린다. 필자의 조항이다. 붕어, 동자개를 잡았다. 밤에 낚시하면 동자개를 노릴 수 있다. 매운탕을 끓이면 맛이 아주 좋다.

낚시로 잡을 수 있는 고기는 주로 붕어, 메기, 동자개가 있다. 이날 낮 2시간, 밤 2시간 낚시를 해서 동자개하고 붕어를 낚았다. 물론 모두 방생하였다.

그리고 2022년 9월 10일, 인생 세 번째 쏘가리를 낚았다. 쏘가리는 아주 귀한 고기라 금지체장이 있는 고기이다. 18cm 이하는 잡으면 안 되는데 나는 27cm 짜리 쏘가리를 잡았다. 매운탕이 생각났으나 그냥 놓아주었다.

쏘가리는 표범처럼 호피 무늬를 가지고 있다. 농어목 꺽지과의 민물고기로 보통 금어기는 4월부터 6월 초까지인데 지역마다 다르다. 그 지역 관공서에 문의하길 바란다. 보통 금어기는 그렇다.

낚시 방법은 꺽지하고 비슷하나 미노우로도 잡을 수 있다. 난 다 웜으로 잡았다. 세 번 모두 웜으로 만났다. 내가 잡은 쏘가리는 다 방생하였다. 쏘가리도 야행성이기 때문에 낮보다 밤에 더 잘 반응한다. 난 해 질 녘에 한 마리 잡았다. 또 다른 방법은 생미끼 낚시이다. 작은 물고기를 이용해서 잡는 방법인데 보통 미꾸라지를 많이 사용한다. 미꾸라지를 끼우고 던지면 쏘가리가 문다는데 나는 시도해 보지 않았다. 왜냐하면 내가 쏘가리만을 잡으려고 낚시를 하는 것이 아니어서 일부러 쏘가리만을 찾지 않았기 때문이다.

쏘가리는 몸이 타원형이고 좌우로 납작하다. 머리는 길고 주둥이는 뾰족하다. 몸에는 표범 무늬가 있고 지느러미들에는 흑갈색 점들이 있다. 물이 맑고 물살이 빠르며 자갈과 바위가 많은 큰 강의 중류에 산다. 주로 밤에 활동하면서 물고기를 잡아먹는다. 5~7월에 알을 낳는다. 고기의 맛이 좋아 매운탕의 재료로 이용된다. 매운탕 가운데 맛이 으뜸이다.

쏘가리

돌마자는 탐어할 때마다 자주 보이는 고기들 중 하나이다. 다 커도 5~7cm밖에 안 되기 때문에 치어로 오해를 많이 받는다. 돌마자는 산소를 많이 필요로 한다. 왜냐하면 조금만 물 밖에 내놓아도 뒤집어지기 때문인데 물에 넣어주고 조금 있으면 정신 차리고 제 갈 길을 간다. 쉽게 말해 산소를 많이 탄다는 말이다.

　몸은 거의 원통형인 고기이고 가운데 검은 줄이 하나 있다. 맑은 물이 흐르는 곳에 서식한다. 머리와 몸통의 배 쪽이 평평해서 바닥에 붙을 수 있다. 입에 두 개의 수염이 있다.

돌마자

　참몰개는 탐어할 때마다 족대로 자주 잡는다. 돌마자와 마찬가지로 잉어과에 속하는 민물고기로 입에 두 개의 수염이 있다. 한국 고유종이다.

　탐어할 때 참몰개가 안 보이면 섭하다. 수초가 우거진 하천이나 저수지에 산다. 영강에서도 관찰을 해 보니 수초가 우거진 곳에 주로 많이 있었다. 긴몰개하고 같이 채집되었던 걸로 기억한다.

참몰개

　밀어도 탐어할 때마다 자주 보이는 고기 중 하나이다. 발색이 예뻐서 좋아하는 고기 중 하나인데 은근 호전적이라 키우지는 않았다. 강과 바다가 만나는 기수역에도 흔히 사는 고기이다. 밀어는 농어목 망둥어과 물고기로 산란 시기는 5월 초에서 8월 초까지인데 호수에 사는 밀어는 4월 초에서 9월 말까지이다. 난 밀어의 발색때문에 이 물고기를 아주 좋아한다. 아주 멋있는 고기라 잡힐 때마다 신나 했었다. 멋있는 고기가 잡혔다고.

밀어는 아주 멋있는 고기이다. 밀어를 한번 잡은 적이 있었는데 그 발색에 매료되었다. 진짜 멋있는 고기 같다.

밀어

긴몰개는 앞에서 말했던 참몰개하고 비슷한 곳에 서식한다. 탐어 결과, 둘 다 같은 곳에서 잡혔기 때문이다.

유속이 완만한 하천이나 늪 등에 서식한다. 산란기는 5~6월이며 알은 물풀에 붙여 놓는다.

먹어본 사람들에 의하면 맛이 좋다고 한다. 그리고 관상용으로 이용된다고 한다. 한국 고유종이며 오염에 강한 것 같다.

긴몰개

영강에는 얼룩새코미꾸리도 사는데 전 세계적으로 낙동강수계에만 산다. 나는 탐어를 하다 우연히 잡았다.

얼룩새코미꾸리는 잉어목 미꾸리과 물고기이며 유속이 빠른 하천 중상류의 자갈 바닥에서 서식한다. 주로 돌 표면에 붙어 사는 아주 작은 식물을 먹는다. 한국 고유종이며 낙동강수계에 분포한다.

얼룩새코미꾸리는 2000년도에 전북대학교 '김익수 교수' 등이 신종 발표를 하면서 알려지게 되었다. 신종으로 보고되어 새코미꾸리와 분리되었다. 2012년 멸종 위기 야생생물 1급으로 지정되어 보호받고 있다. 따라서 잡는 즉시 방생해야 한다.

얼룩새코미꾸리 (출처 국립생물자원관)

나는 이런 일화도 있었다. 얼룩새코미꾸리를 잡은 날 우연히 매운탕집을 지나는데 얼룩새코미꾸리 5마리가 매운탕집 수조에 있는 것이었다. 그래서 매운탕집에 들어가서 피리 튀김과 다슬기를 사면서 수조에 있는 저 물고기를 돈을 지불할 테니 저한테 파시라고 말씀드렸더니 그냥 가져가라고 하셨다. 그래서 주인분들께 설명을 해드렸다. '사실 저 물고기는 멸종 위기 1급인 얼룩새코미꾸리라는 종이다. 잡으시면 안된다'라고 하니 '우린 몰랐다. 고의가 아니었다'라고 말씀하셔서 제가 잘 놔주겠다고 말씀드리고 데리고 왔다. '잘 아는 다른 사람이 보면 신고할까 봐 걱정되어 그랬다'라고 설명해 드렸다. 데리고 온 얼룩새코미꾸리는 영강에 잘 보내 주었다. 그 후부터 전 그 매운탕집의 단골이 되어 '안녕하세요? 얼룩새코미꾸리 입니다'라고 인사하곤 합니다.

가물치도 영강에 사는데 농어목 가물치과의 토종 민물고기이다. 민물 최상위 포식자이다.

나는 2022년 9월 30일에 가물치를 족대로 잡았다. 생각보다 컸다. 35~40cm 정도는 되어 보였다.

가물치는 공기 호흡을 할 수 있는 보조 호흡 기관을 가지고 있기 때문에 비가 오거나 하면 물 밖으로 나와서 이동할 수도 있다. 크기는 보통 50~60cm인데 1m까지 자라는 개체도 있다고 한다. 가물치가 사는 곳은 흐르지 않는 연못, 저수지, 늪지대이다.

가물치 치어

내가 가물치를 어떻게 잡았냐면 물고기떼를 추격하고 있는데 어도 옆에 가물치 한 마리가 보여서 바로 족대로 막았더니 잡혔다. 잡았을 때의 전율이란 말로 표현할 수가 없었다. 가물치를 잡고 사진 찍고 좀 붙들어 두다가 사람들이 발견 못 할 만한 곳에 놓아주었다.

가물치 성어

나는 민물고기 자체를 좋아한다. 사람들이 조그마한 고기면 무조건 '피라미'라고 칭해서 알리고 싶은 마음에 이 글을 쓴다. 나는 물고기만 보면 잡고 싶었고 잡으면 사진을 남겨 기록하고 싶었다. 그래서 다양한 기록을 많이 남겼다. 줄납자루, 큰줄납자루, 낙동납자루, 수수미꾸리 등등 말이다. 그 외 다양한 물고기 기록을 남겼다.

처음엔 내가 좋아서 시작한 일이었지만 이것이 다음 세대에 도움이 되었으면 하는 마음으로도 하게 되었다.

곤충 분야에 '이승모 선생님'이라고 계셨는데 그분께서

는 이북에서 피란 내려와 남쪽에서 곤충을 연구하셨다.

나는 그분과 관련된 책을 읽은 적이 있다. 그분은 함평에 자신이 연구한 모든 것을 기증하셨다. 나도 내 자료가 기증할 가치가 있는지는 모르겠지만 조금이나마 도움이 되길 바라는 마음에서 이 글을 쓴다.

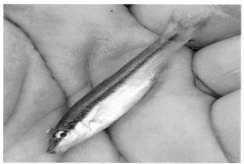
돌고기 유어(치어)

돌고기

돌고기를 잡을 때는 통발을 놓아서 잡는다. 낚시로는 잘 안 잡히기 때문에 주로 족대나 통발로 잡았다.

돌고기는 옛날에는 이름이 '돈고기'였다고 하는데 주둥이가 '돼지코' 같았기 때문이다. 지금은 '돌고기'라 불린다. 몸이 긴 특징이 있다. 잉어과이고 크기는 10~15cm

가 평균 사이즈이다. 등은 진한 갈색이고 배 쪽은 황색을 띤다. 입가엔 한 쌍의 수염이 있고 산란기는 5~6월이다. 50~60cm 되는 바닥에 있는 큰 돌이나 돌 틈에 산란한다. 그리고 관찰을 해 보니 유어는 입술이 빨갛다.

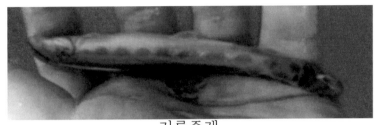
기름종개

나는 기름종개를 의외로 많이 잡아보지 못했다. 딱 한 번 잡아봤다. 귀한 고기는 아닌데 말이다. 나한테는 특이하게 수수미꾸리가 더 잘 잡힌다. 방언으로는 '쌀미꾸리'라고 한다. 어른들께 여쭈어보니 그렇게 부른다고 한다.

정식 명칭은 '기름종개'이다. 기름종개는 수수미꾸리와 마찬가지로 낙동강수계에만 산다. 언뜻 보면 미꾸라지랑 형태가 비슷하나 무늬가 다르다. 모래 위에서 산다. 모래 속에 있는 조류나 절지동물을 먹고 산다. 나는 이 고기를 통발로 한번 잡아보았다. 그리고 '쌀미꾸리'라는 종은 따로 있다.

쌀미꾸리 (출처 국립생물자원관)

지금부터는 납자루아과 고기들을 소개하겠다.

대표적으로 영강에는 낙동납자루, 줄납자루, 납자루, 큰줄납자루, 납지리 5종이 관찰된다. 낙동납자루와 큰줄납자루는 앞에서 소개했으니 참고하시고 줄납자루, 납자루 납지리에 대해서 소개하겠다.

사실 납자루의 식용가치는 없다. 먹어본 사람 말에 의하면 '맛이 없다'고 한다. 그 대신 관상어로서의 가치가 있다. 그래서 나도 키워보았다. 나는 줄납자루, 낙동납자루, 납자루를 키워보았다. 큰줄납자루는 멸종 위기 2급이라 키우면 안 된다. 그래서 3종만 키워보았다.

납자루아과에는 납자루아과에만 기생하는 '클리노스토뮴'이라는 기생충이 있는데, 이 기생충의 특징은 새의 변에 포함된 알이 물에 떨어지고 물달팽이가 알을 주워 먹게 된다. 물달팽이 몸속에서 부화한 알은 흡충의 형태가 되어 물고기 그중 납자루아과 고기들에게 옮겨가게 된다. 기생충은 물고기 몸속에서 성장하며 최종 숙주인 새가 잡아먹길 기다린다.

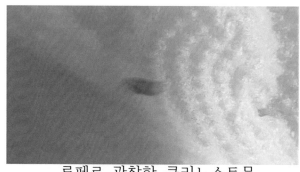
루페로 관찰한 클리노스토뮴

줄납자루는 탐어할 때 자주 보이는 고기이다. 아래 사진은 성체인데 탐어할 때 찍었다. 몸에 줄이 있는 게 특징이다. 잉어목 잉어과의 물고기이다. 줄납자루는 전국에 사는데 수계마다 발색이 다르다. 동해안으로 흐르는 하천과 섬진강을 제외한 하천에 산다.

몸은 몸높이가 낮은 타원형이고 좌우로 납작하다. 입가에는 한 쌍의 수염이 있다. 옆줄은 완전하다. 등은 청록색, 배는 은백색을 띤다. 아가미뚜껑 위에 뚜렷한 흑청색 점무늬가 있고 몸에 여러 줄의 세로줄 무늬가 있다.

등지느러미와 뒷지느러미에 3개의 흑청색 줄무늬가 있으며 배지느러미와 뒷지느러미 가장자리에 흰 줄무늬가 있다. 물 흐름이 느리고 바닥이 자갈로 덮여 있는 하천에 살고 주로 식물성 플랑크톤을 먹으며 5~6월에 알을 낳는다.

줄납자루

납자루도 탐어할 때 비교적 흔하게 보인다. 족대로 수풀 사이를 뒤져보면 나오는 고기들이다. 필자도 족대로 채집했다. 저 당시에 제 지인분이 부탁해서 대형어 먹이를 구하고 있었는데 그 와중에 잡혔다.

　잉어목 잉어과의 물고기이다. 유속이 빠르고 자갈이 많이 깔린 곳에 서식한다. 몸은 긴 타원형이고 좌우로 납작하다. 입가에 한 쌍의 수염이 있다. 등지느러미 가운데 방추형의 선홍색 점무늬가 있다. 몸은 금속성 광택을 띠며, 배는 은백색을 띠고, 몸통 뒷부분에 희미하고 가는 흑청색 줄무늬가 꼬리자루까지 이어진다. 작은 수서곤충이랑 부착조류를 먹으며 4~6월에 알을 낳는다.

납자루

　납지리도 탐어할 때 흔히 보이는 납자루아과 고기 중 하나이다. 족대로 뒤져보면 나온다. 산란 시기는 9월에서 11월이며 납자루 무리 중에 유일하게 가을에 알을 낳는다. 영강에 은근히 많다. 나는 납지리를 보에서 타고 오르려는 걸 잡았고 낚시로도 잡았다.

납지리

참마자는 물이 맑은 하천 중류의 모래와 자갈 바닥에 산다. 주로 수서곤충을 먹지만 일부는 부착조류도 먹는다. 때로는 모래 속에 숨어있기도 한다.

참마자 유어(치어)

나는 유어만 채집해 보았다. 위에 사진이 유어(치어)이다. 대형어 먹이를 구하다 잡았다. 참마자는 방생해 주었다. 다음엔 성어도 잡기를 바란다.

참마자 성어

모래무지는 하천의 모랫바닥에 살며 모래 속으로 파고드는 습성이 있다. 수서곤충을 먹는다. 먹이를 먹기 위해 모래를 입으로 빨아들인 후 모래만 아가미로 다시 배출한다. 나는 유어만 잡았다. 큰 모래무지는 잡은 적이 없다.

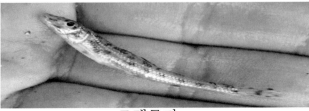
모래무지

자가사리는 머리는 상하로 납작하고 꼬리는 좌우로 납작하다. 위턱이 아래턱보다 길고 입은 아래 방향으로 열린다. 입수염은 4쌍으로 가운데 두 쌍은 길다. 몸은 갈색이고 가장자리에 연 노란색의 테두리가 있다.

한국 남부 지방의 금강, 낙동강, 탐진강, 남해도, 거제도 하천에 산다. 우리나라 자가사리 가운데 섬진강에 사는 집단은 다른 강에 사는 것과 달리 꼬리지느러미 끝에 노란 초승달 무늬가 있다. 그리고 이 고기는 가시가 있기 때문에 조심해야 한다. 찔려본 사람 말에 의하면 '칼에 베이고 쓰라린 느낌'이라고 한다. 문경에서는 '텅어리'라고 부른다.

자가사리

참중고기는 입가에 작은 수염 한 쌍이 있다. 산란기의 암컷은 산란관이 나타나며 수컷의 주둥이에 추성이 나타난다. 등은 녹갈색이고 배는 흰색을 띤다. 몸 가운데 검은 줄무늬가 있으며, 어릴 때는 더 뚜렷하다. 등지느러미 가운데에 검은 무늬가 1개 있다.

맑은 하천의 흙과 자갈 바닥 주변에 살며, 산란기의 암컷은 산란관을 길게 내어 민물조개 몸 안에 알을 낳는다. 주로 수서곤충, 갑각류 및 실지렁이 등을 먹는다.
뒤표지 주인공이다.

참중고기

메기는 몸통이 두껍고 뒤로 갈수록 납작해진다. 머리
는 상하로 납작하고 위턱이 아래턱보다 짧다. 콧구멍 앞
과 아래턱에는 각 한 쌍의 수염이 있다.

몸에 비늘이 없고 점액질이 발달되어 미끄럽다. 등지
느러미는 작고 1개이다. 몸은 갈색 또는 황갈색이다.

하천과 호수의 진흙 바닥에 살며, 육식성으로 밤에 어
린 물고기나 작은 동물을 먹는다. 알을 물풀에 붙이거나
바닥에 낳으며, 수컷이 암컷의 배를 눌러 알을 낳도록
한다.

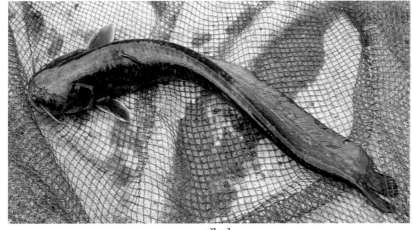
메기

쉬리는 머리가 길고 주둥이 끝이 뾰족하다. 옆줄은 반 듯하게 이어진다. 주둥이 끝에서 시작되어 아가미뚜껑에 이르는 검은 줄무늬가 있다. 옆줄이 있는 몸 가운데에 노란 줄무늬가 있고, 그 위쪽으로 주황색과 보라색, 남색 줄무늬가 이어진다. 하천 상류와 중류의 물이 맑고 물살이 센 여울의 자갈 바닥에 살며, 수서곤충을 먹는다.

4~5월에 여울의 자갈이나 큰 돌 아래쪽에 알을 낳는다. 영화 제목으로도 유명한데, 영화 속의 고기는 '키싱 구라미'라는 관상용 물고기이다.

쉬리

참갈겨니는 몸길이가 13~20cm이며, 몸이 길고 옆으로 납작하다. 피라미와 닮았지만, 피라미보다 머리가 크며, 양옆에 굵고 어두운 푸른색의 세로띠가 있다.

가슴지느러미 부근에 붉은색의 띠무늬가 있으며, 전체적인 몸 빛깔은 등 쪽은 갈색, 배 쪽은 은백색이며 눈은 검은색이다. 눈이 크며, 주둥이는 짧고 끝이 다소 뭉툭하다. 수염은 없고 뒷지느러미는 길지만, 피라미보다는 짧다. 산란 시기는 5~8월이며, 대체로 강에 사는 곤충을

먹는다. 갈겨니와 동일한 종으로 분류되다가 2005년 신
종으로 분류되었다. 갈겨니와 비슷하지만, 갈겨니와 달리
눈동자 위쪽이 붉지 않다. 난 최대 24cm까지 잡아보았
다.

참갈겨니

피라미는 영동 지역의 북부를 제외하고 전국에 분포한
다. 몸은 길고 좌우로 납작하다. 몸은 파란색 바탕에 등
은 진한 갈색이다. 배는 은백색을 띤다. 몸에 정갈한 가
로무늬가 있으며, 무늬들 사이에 연한 붉은색 또는 황색
을 띤다. 산란기의 수컷은 머리가 검어지고 몸과 지느러
미에 청록색과 붉은색의 혼인색이 나타난다.

물이 맑은 하천 중류의 여울에 산다. 자갈이나 모래에
붙어있는 수서곤충의 유충을 먹기도 하지만, 주로 부착
조류를 먹는다. 5~7월에 알을 낳는다. 혼인색 때문에 피
라미 수컷을 '불거지'라고 불리기도 한다.

피라미

미꾸라지는 몸이 길고 좌우로 두껍다. 입가의 수염 3쌍 가운데 셋째 수염의 길이가 가장 길다. 수컷의 가슴지느러미 1~2번째 줄기의 끝은 암컷에 비해 뾰족하고 길다. 물 흐름이 느린 하천의 진흙 바닥에 살며, 4~6월에 알을 낳는다. 수컷 한 마리가 암컷의 몸을 감아 알을 짜낸다.

미꾸라지

끄리는 동해로 흐르는 하천을 제외한 하천에 산다. 몸은 길고 좌우로 납작하다. 아래턱은 V자 모양을 이룬다.

입가에 수염은 없다. 생김새가 피라미와 비슷하다. 언뜻보면 헷갈린다. 필자도 유어를 잡았을 때 헷갈렸다.

큰 강의 하류나 저수지에 살며 부착조류, 수서곤충, 물고기, 작은 동물을 먹는다. 5~6월에 알을 낳는다.

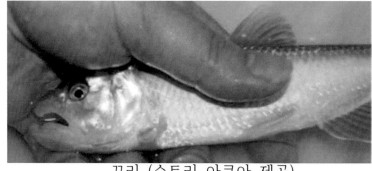
끄리 (수토리 아쿠아 제공)

끄리 유어 (수토리 아쿠아 제공)

잉어는 전국의 하천과 저수지에 서식하며 입가에 두
쌍의 수염이 있다. 수염이 없으면 붕어이다. 비늘이 기왓
장처럼 배열되어 있다. 몸은 녹갈색 바탕에 등은 진하고
배는 연한 색을 띤다. 물 흐름이 느린 큰 강과 저수지
및 댐 등에 살며 부착조류, 조개, 수서곤충, 갑각류, 실
지렁이 및 어린 물고기를 먹는다. 5~6월에 알을 낳는다.

잉어

누치는 서해와 남해안으로 흐르는 하천에 서식하며,
몸은 좌우로 두껍고 머리가 크다. 주둥이 아래에 말굽
모양에 입이 있다. 입술이 두꺼워 '안젤리나 졸리 물고
기'라고도 낚시인들은 부르기도 한다. 입가에 한 쌍의 수

염이 있다. 어릴 때는 옆줄 위쪽에 6개의 검은 점무늬가 있는데 자라면서 희미해진다.

물이 맑고 깊으며 모래와 자갈이 깔려 있는 큰 하천의 여울에 산다. 그래서 견지낚시 대상어가 되기도 한다. 수서곤충의 유충, 실지렁이 및 작은 갑각류를 먹고 모래와 함께 부착조류를 먹는다.

누치 (수토리 아쿠아 제공)

둘째 마당

⌘ 작가의 탐어 이야기 ⌘

둘째 마당에서는 탐어 이야기가 이어집니다.
재미있을지는 모르겠지만 풀어볼게요.
탐어할 때 제가 챙기는 것이 있는데요. 저는 유리 또는 플라스틱 어항을 꼭 챙겨요. 사진을 찍기 위해서죠.
기록을 하는 이유도 간단해요. 다음 세대에 알리기 위해서죠. 그래서 이 글을 쓰고 있고요.

탐어할 때 준비물을 알려 드릴게요.
족대, 촬영용 수조, 통발, 떡밥 그리고 장거리 이동하시는 분들은 기포기도 필요하고, 요즘은 어류도감보다는 핸드폰으로 다 해결이 가능합니다. 어류 커뮤니티에 물어보면 웬만하면 다 알려줘요. 저도 모르는 고기는 그렇게 알았거든요. 그리고 깊은 곳에 들어갈 것에 대비해서 가슴 장화 준비하시고요. 이 정도면 될 것 같네요.

저는 어릴 때부터 민물고기를 좋아했어요. 민물고기가 진짜 좋았어요. 영강에서 물고기를 잡을 때마다 좋았어요. 다양한 방법으로 잡았죠. 낚시, 통발, 족대질, 뜰채질 이런 식으로 잡은 것 같아요. 아주 가끔은 맨손으로 시도해서 성공하기도 했고요.

저한테는 영강이 놀이터였어요. 그곳에 가면 반겨주는 느낌이었죠. 왜냐하면 전 학교생활이 힘들 때가 많았어요. 그래서 틈만 나면 영강에 갔어요. 영강에 가서 고기 잡을 때만큼은 마음이 아주 편안했거든요.

탐어인들끼리는 서로 도와주는 게 있어요. 정보 공유도 하고, 같이 고기를 몰아 주기도 하고 서로가 서로를 도와주거든요. 그런데 학교에 가면 달라요. 그래서 그걸 잊으려고 영강에 자주 갔던 것 같아요.

초등학생 때는 자력으로 못 갔는데 중학생 때부터는 자전거를 타게 되면서 혼자 다니게 되었어요. 그렇게 혼자 다니면서 낙동납자루도 잡고 그랬어요. 왜냐하면 낙동납자루가 저의 옛날 추억을 떠올리게 해 주었거든요.

우연히 낚시로 피라미를 잡다가 낙동납자루를 포획하게 되었는데요. 반갑더라고요. 맨날 힘든 학교생활을 하다가 낙동납자루를 만나니 반가웠어요.

저는 힘들 때마다 생각나는 것이 물고기라 제가 '물고기에 진심이구나' 싶었죠. 그래서 이 글을 쓰고 있는 것 같기도 해요. 지켜주고 싶었거든요. 민물고기를요.

제가 힘들 때 곁에 있어 주었으니까요. 제가 힘들 때마다 하는 일이 있는데 아이돌 덕질 아니면 탐어를 해요. 겨울철이 아니면 대부분 탐어를 하죠.

잠시 학교 이야기를 하자면, 저는 초등학교 저학년 때는 순수하게 동물을 좋아하는 아이였어요. 초등학교 고학년 때부터 학교생활이 힘들었던 것 같아요. 그렇게 시간이 흘러서 중학생이 되었어요. 새 친구도 사귀고 달라지나 싶었죠. 선생님도 좋은 분이셨고요. 그런데 저는 중2 때부터 학교생활이 더 힘들었어요. 스트레스도 많이 받았고요. 중3 때 담임 선생님께서 저를 많이 위로해 주셨어요. 그 후로는 학교가 좋았어요. 그래서 지금도 중학교때 선생님들을 찾아가요. 너무 감사한 분들이죠. 그분들이 없었다면 전 더 많이 힘들었을 거예요.

고등학교에 올라와서 학교생활이 힘들 때마다 물고기랑 아이돌들이 제게 많은 힘을 주었어요.

제가 그 낙동납자루를 잡은 계기로 통발을 설치해서 낙동납자루를 많이 채집했거든요. 몇 달간 주말만 되면 토요일에 통발을 설치해서 일요일에 거두곤 했으니까요. 아, 그리고 탐어도 하고 낚시도 하면서 생긴 에피소드를 얘기해 드릴게요.

피라미를 잡다가 월남전에 참전한 군인을 만난 적이 있어요. 전 그때 '국가를 위해 복무해 주셔서 감사합니다.'라고 인사를 하고 도깨비바늘(피라미 잡을 때 쓰는 바늘)이랑 잡은 고기-어차피 사진만 찍고 놓아줄 거라서 -다 드렸던 기억이 나네요.

저는 참전 군인을 만나면 '감사합니다.'라고 인사를 꼭 드리고 싶었거든요. 그분은 별거 아니라고 하시더라고요. 그런데 국가 보상금이 너무 적다고 하셨어요. 저도 그 말에 동의해요. 한국은 국가 유공자 대우를 잘 안 해줘요. 북미권 국가나 유럽이랑 다르게요. 전 제가 할 수 있는 예우를 보여 드렸어요. 다음 날 그분께서 떡밥을 같이 쓰자고 하시더라고요. 전 '감사합니다.'하고 같이 썼

죠. 그날 참갈겨니를 많이 잡았는데 잡은 고기를 다 드렸던 기억이 있습니다. 그리고 대낚시를 알려 주신 분도 계시고, 껍지를 주신 분, 물고기에 관심 가지고 알려달라 하신 분 등등 모두 고마운 분들이죠.

낚시하면서 좋은 분들을 참 많이 만났는데, 그중에 탐어하다 환경청 산하 연구원을 만난 적이 있어요. 이 글을 쓰는 데 많은 도움을 주신 분 중 한 분인데, 우연히 만난 그분께서 정말 많은 것들을 알려주셨어요.

제가 얼룩새코미꾸리를 알아본 걸 보고 놀라시더라고요. 그분께서 얼룩새코미꾸리를 잡아 오셨는데 제가 바로 알아봤거든요. 제 또래 아이들은 대부분 모르는데 말이죠. 멸종위기종 사진을 쓸 때는 대구지방환경청의 허락을 받아서 해야 하고, 국립생물자원관의 사진들은 모든 국민에게 열려있으니 출처만 밝히고 쓰라고 알려주셨어요. 그리고 명함도 한 장 주셨습니다. SNS로 큰줄납자루에 관해서도 알려 주시고 아주 감사한 분입니다.
이 자리를 빌려 감사하다는 말씀드립니다.

그리고 캐나다인 친구도 한 명 알게 되었어요. 그 친구는 플라이낚시를 좋아하는데 저한테 "고기 많이 나와요?"라고 한국어로 묻길래 영어로 대답해 줬죠.

"네, 잘 잡혀요." 그랬더니 놀라더라고요. 그분이 계속 영어로 물어보셔서 저도 영어로 대화를 했어요. 지금까지 저한테 영어를 가르쳐 주신 분들께 감사하면서요.

그분과 많은 얘기를 했어요. 한국의 물고기들에 대한 얘기와 뉴질랜드, 캐나다에서의 낚시 얘기도 해 주셨어요. 캐나다와 뉴질랜드에도 참돔이 있다고 하더라고요.

그 사실이 신기했어요. 저는 선물로 도깨비바늘 하나를 드렸어요. 피라미를 잡고 싶다고 해서요. 그리고 제가 잡은 다양한 물고기 사진들을 보여드렸죠.

다음 날 우연히 또 만나서 플라이낚시를 잠깐 배웠어요. 마치 영화 '흐르는 강물처럼' 같더라고요.

한동안 바빠서 연락을 못 하다가 나중에 연락이 닿아서 넓적사슴벌레와 유충 한 마리씩을 보내 줬어요.

우리 할머니, 할아버지께서도 제가 자연에 관심이 많으니까 많은 도움을 주셨어요.

저 어릴 때, 꺽지 잡아 온 것도 보여주시고 잉어, 톱사슴벌레, 장수풍뎅이, 넓적사슴벌레, 애사슴벌레, 개구리 등을 많이 잡아주셨거든요.

그리고 항상 두 분 모두 제가 '뭐 잡아 올게요'라고 하면 '잡히지나 마라'라고 말씀하시곤 하셨어요.

제가 걱정되어서 하신 말씀이었죠. 진짜 감사합니다.

지금도 궁금한 것을 잘 알려주세요. 농사에 관한 것도 동식물에 관한 것도요.

낚시를 할 때 보면 꺽지, 피라미, 참갈겨니들은 끝까지 저항하더라고요. 제가 힘들 때 도움이 되었던 고기들이에요. 꺽지는 제가 방심한 틈을 노려 탈출을 시도하고요.

그리고 피라미나 참갈겨니들은 잡힐 때도 저항하지만 잡히고 나서도 저항하는 고기들이 있더라고요. 계속 튀어 나와요. 전 그런 고기 위주로 먼저 놓아주었어요. 저항정신을 높게 사서요. 그것을 보고 느낀 점은 '방심하지 말자, 틈을 노려라, 끝까지 저항하라'였어요. 그래서 전 학교생활이 힘들 때마다 물고기들을 생각하며 마음을 다잡았어요.

저는 민물고기도 키워 본 적이 있는데요. 강아지를 키우고 싶어 하는 것과 같은 마음이지요. 그래서 낙동납자루를 잡아서 키워도 보고, 줄납자루도 '수토리 아쿠아'에서 구해서 키워봤어요.

수토리 아쿠아가 저희 집에서 매우 가까운 곳에 있더라고요. 꺽지도 잡아서 키워보고, 메기도 키워보고, 줄납자루, 기름종개, 수수미꾸리, 미꾸라지, 흰줄납줄개, 각시붕어, 떡납줄갱이, 납지리도 키워봤어요.

한번 길러보고 싶었던 거죠. 그래서 30큐브 어항(가로, 세로, 높이가 30cm짜리인 정육면체라고 생각하면 됨)을 하나 사서 민물고기를 위한 전용 어항을 만들었어요. 그래서 그 뒤로 키우고 있어요.

저는 물고기를 채집할 때 비닐을 두 장 가지고 가서 두 겹으로 싸서 가지고 왔거든요. 저는 필드하고 집이 가까웠어요. 자전거 타고 30분 정도 걸리니까요. 그래서 채집해서 키우기도 했어요. 꺽지, 낙동납자루를 이런 식으로 채집해 봤어요. 수족관에서 민물고기를 그냥 얻은 적도 있는데 납자루하고 참붕어, 돌고기를 얻어 왔었어요. 제가 민물고기 좋아하니까 챙겨주신 거예요. 진짜 감사했어요.

여기서 채집법을 알려 드릴게요.
낚시는 고기 종류마다 다른데 보통 일반인이 할 수 있는 방법으로는 원투낚시, 루어낚시(그중 꺽지 낚시)가 있어요. 원투는 원거리 투척의 줄임말입니다. 장거리로 던지는 거죠. 의외로 쉬워요. '묶음추'라고 원투 바늘을 팔아요. 거기에 지렁이를 끼고 묶어서 던지고 기다리면 됩니다.

묶음추에요. 이건 캠핑갈 때 쓸 수 있어요. 이건 바다용 채비인데 전 민물, 바다 안 가리고 써요. 그리고 밤에 낚시할 경우 원투낚시용 '캐미'도 필요해요. 캐미는 밤에 입질이 잘 보이게 하는 도구에요. 야광이라 잘 보여요.
방울 사용법은 초릿대 위에 집게로 집으면 돼요. 그런데 캐스팅, 즉 던질 때 방울을 제거하고 하세요. 안 그러면 방울이 날아가요. 그리고 릴은 4000번 릴부터 사용하

시면 될 것 같아요. 3000번도 쓰긴 하는데 모르겠으면 그냥 낚시방 가서 원투용 낚싯대랑 릴을 달라고 하세요.

방울   낚시대   릴

다음으로 간단한 낚시법은 피라미 낚시인데 '파리낚시' 라고 흘림낚시로 잡는 방법보다도 훨씬 쉬어요.
바로 도깨비바늘로 잡는 방법인데 도깨비바늘과 떡밥만 있고 아무 낚싯대에 릴만 다룰 줄 알면 할 수 있는 낚시 에요. 나도 도깨비바늘로 많은 고기를 낚았어요.
떡밥은 2~3천 원, 바늘은 1~2천 원 정도 합니다.

도깨비바늘과 떡밥   웜

피라미 낚시도 캠핑 갔을 때 아이들과 하기 좋아요.
아이들은 고기가 잡히면 무조건 좋아하기 때문이죠.

단, 바늘이 돌이나 수초에 걸릴 것을 대비해 바늘을 여러 개 가져가는 것을 추천합니다. 필자도 최소 3개는 가지고 다니거든요.

초보자들이 하기 좋은 루어낚시는 꺽지 낚시를 추천해요. 웜을 '지그헤드'라는 바늘에 끼워서 던지고 그냥 바닥을 훑는다는 느낌으로 감으면 됩니다. 돌 사이도 지나보고 그냥 감아 보세요. 밑걸림을 두려워하지 마세요. 꺽지가 잡힐 거에요. 단, 겨울은 잡기가 힘들어요. 꺽지뿐만 아니라 모든 고기가 겨울에는 잡기 힘들어요.
릴은 500번에서 1000번 릴을 쓰세요. 낚싯대는 UL대로 하면 됩니다. 필자도 UL대를 사용해요.

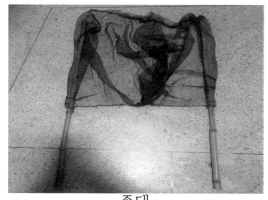
족대

그 다음 방법은 족대질인데 족대질은 풀숲을 쑤시거나 족대를 대고 돌을 뒤집어보면 고기가 잡힐 거에요.
그리고 보 밑에는 용존산소량이 풍부해서 고기가 많거든요. 보 밑에 대 보세요. 고기를 잡을 수 있을 거에요.
뜰채나 잠자리채도 비슷한 방식으로 가능해요.

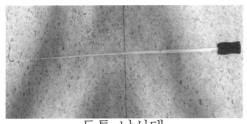

돌틈 낚싯대   낚싯바늘

돌틈 낚시는 간단해요. 지렁이 따위의 미끼를 끼고 돌틈에 넣어보세요. 그럼 잡혀있을 거예요. 나도 방법만 아는데 처음 시도했을 때 실패했어요.

통발 (펼쳤을 때와 접었을 때의 모습)

다음 방법은 통발이에요. 통발은 미끼를 넣고 최소 30분에서 최대 하루까지 기다립니다. 미끼는 주로 통발용 집어제를 사용해요. 낚시방에 가면 다 팝니다.

위 사진은 말조개에요. 납자루아과 고기들이 산란할 때 인큐베이터로 사용합니다. 채집할 수 있으면 채집해서 산란 행동을 관찰하는 것도 좋아요.

이 정도면 잡을 수 있겠죠?

그럼 탐어의 세계에 빠져 보세요.

이제 나의 물고기 이야기가 끝이 나네요.

제가 오래 살지 않아서 얘기가 많이 짧네요.

그냥 민물고기를 지키고 싶어서 쓴 글이에요.

마지막으로 제가 찍은 민물고기 사진들을 보여 드릴게요. 그리고 제 인스타에 오시면 많은 민물고기, 조류 사진을 볼 수 있습니다. 팔로우도 해 주세요. 탐조도 합니다.

인스타아이디　　Donghyeon1733

◆ 참고 자료
　　<선생님들이 직접 만든 이야기 물고기 도감>

◆ 도움 주신 분들
　　새봄생태연구원 오민기 선생님, 수토리 아쿠아 권순규 대표님, 한가네 민물매운탕 사장님, 수많은 탐어인 분들 그리고 저의 중학교 선생님이신 최우창 선생님, 권영하 선생님 등 그 외 도움 주신 모든 분들께 마음 깊이 감사드립니다.

◆ 끝맺음 말

저는 바라는 것이 하나 있어요. 자연을 보호하자고 소리 높여 외치지 않아도 인간, 물고기, 새, 곤충 그 외 모든 생물들이 한데 어우러져 잘 사는 세상, 물론 먹고 먹히는 먹이사슬은 필요한데 인간들의 환경오염에 의해 죽는 생명이 줄어들었으면 하는 거죠.

저는 이 책을 통해 누구 한 명이라도 민물고기와 가까워졌다면 이 책은 성공했다고 생각해요.

저는 민물고기를 지키는 것과 우리 땅에도 예쁜 물고기가 많이 있다는 것을 알리는 것이 목적이었기 때문에 이걸 달성했다면 성공이라고 봐요.

그리고 영강이 개발될 것에 대비한 증거를 만들어 둔 거예요. 영강에 이런 보호종이 산다. 난개발을 하지 마라. 증거가 있어야 보호를 하든가 하죠.

근데 물고기들이 현명한 것 같아요. 이런 환경파괴 속에도 슬기롭게 잘 살아가는 걸 보면요.

그리고 부탁인데 이 책을 읽으신 분들은 낚시나 탐어하면서 쓰레기를 함부로 버리지 마세요. 특히 '폐낚싯줄'을 함부로 버리지 마세요. 그것 때문에 새가 다쳐요. 사람도 다치고요. 저도 걸려 넘어질 뻔했어요.

진짜 쓰레기는 버리지 맙시다. 이것만 부탁할게요.

알겠죠? 그럼 안전하게 탐어나 낚시하세요.

◆ 이제부터 제가 잡은 민물고기 사진을 보여드릴게요.

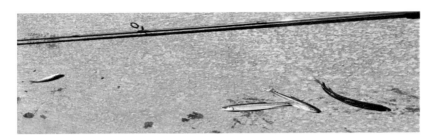

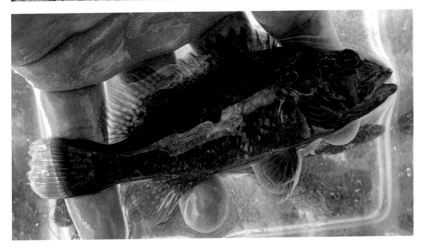